Gaëtan Dorémus

tout doux

rouergue

chaud

froid

froid dehors

chaud dedans

une maison froide...

...où il fait chaud

le soleil chaud...

bien trop chaud !

une nuit glaciale...

une ville !...

et tout en haut d'une montagne,

une maison !

thé chaud ou thé glacé ?

un hiver...

...pour hiberner

un printemps...

...humide

un bel été

l'automne tout doux est arrivé